S0-ASL-157

EL CÓNDOR Y LA PASTORA

editorial amanuta

EL CÓNDOR Y LA PASTORA
Colección Pueblos Originarios

©Marcela Recabarren, 2004
©de esta edición:
Editorial Amanuta Limitada, 2012
Santiago, Chile
www.amanuta.cl
e-mail: contacto@amanuta.cl

Ilustraciones y diagramación: Paloma Valdivia
Edición: Ana María Pavez y Constanza Recart
Quinta edición: Octubre 2012
N° Registro: 142.436
ISBN: 978-956-8209-09-4
Impreso en Chile

Este cuento está basado en una leyenda atacameña recopilada por Domingo Gómez Parra, 1994.

Editorial Amanuta
Todos los derechos reservados

Recabarren, Marcela
El cóndor y la pastora: cuento basado en una leyenda atacameña
/ Marcela Recabarren; ilustraciones de Paloma Valdivia.
5ª ed. Santiago: Amanuta, 2012.
[32 p.]: il. col.; 23,5 x 21,5 cm. (colección Pueblos Originarios)
ISBN: 978-956-8209-09-4
1. CUENTOS INFANTILES CHILENOS
I. Valdivia, Paloma, il.

EL CÓNDOR Y LA PASTORA

Cuento basado en una leyenda atacameña

Marcela Recabarren
Ilustraciones Paloma Valdivia

editorial amanuta
COLECCIÓN PUEBLOS ORIGINARIOS

Era un lindo día de sol en el desierto de Atacama. Una pastora llevaba a sus llamas hasta un lugar donde crecía el pasto más tierno. Sin perder de vista el rebaño, la joven hilaba. De pronto, vio que un enorme pájaro negro, de cresta roja, se acercaba volando. Era un cóndor.

El cóndor aterrizó detrás de una roca. Llena de curiosidad, la pastora corrió a mirar.

Se sorprendió al ver que, en vez de un pájaro, tras la gran piedra apareció un joven atacameño.

La pastora y el joven se pusieron a conversar y se hicieron amigos.

—¿Quieres dar un paseo sobre mis hombros? —preguntó el joven.

—Sí, me encantaría —contestó la pastora muy contenta.

La pastora se subió a los hombros de su nuevo amigo. Él caminó cada vez más rápido y más rápido, hasta que comenzó a despegarse del suelo.

Los brazos del joven se convirtieron en enormes alas negras.
Aterrada, la pastora vio que volaban sobre el desierto. No podía creer
que el joven se hubiera transformado en un gran cóndor.

—¿A dónde me llevas? —le preguntó la pastora, temblando de miedo.
El cóndor no respondió y la pastora se asustó más todavía. Se agarró con fuerza
del cuello del pájaro para no caerse. Volaban muy alto, hacia las montañas
más grandes de la cordillera de Los Andes.

El cóndor dejó a la pastora en una cueva que estaba en lo alto de la montaña. La joven se dio cuenta de que estaba prisionera. El lugar era tan aislado que su única compañía era el gran pájaro, que cada día se preocupaba de llevarle carne cruda para alimentarla. Al principio, la pastora no se la quería comer. Pero después de algunos días tenía tanta hambre que la aceptó. Poco a poco, la carne cruda fue haciendo que a la joven le empezaran a salir plumas.

¡La pastora se estaba convirtiendo en cóndor!

La pastora estaba muy triste. Veía como cada día le salían más plumas. Echaba de menos a su familia. Recordaba a sus padres y a su hermano y se ponía a llorar.

A pesar de los esfuerzos del cóndor por hacerla feliz, ella quería volver a su hogar. Pero no pasaba nadie que la pudiera socorrer. Hasta que un día divisó a un zorro que andaba en las montañas.

—¡Zorro, por favor, ayúdame! Dile a mi hermano Urrucutu que me rescate —rogó la pastora con desesperación.

—¿Dónde puedo encontrarlo? —preguntó el zorro amablemente.

—Urrucutu viaja con las caravanas. Si te guías por los geoglifos, esos hermosos dibujos que hay en las montañas, lo hallarás —respondió la pastora.

El zorro siguió los geoglifos que señalaban la ruta de las caravanas por el desierto. Así, no tardó en encontrar a Urrucutu. Corrió hacia él y le contó que su hermana estaba prisionera.

—Sígueme, te guiaré hasta la cueva —dijo el zorro.

—No perdamos tiempo. Salvaré a mi hermana —contestó el valiente joven.

El zorro llevó a Urrucutu hasta los pies de la cueva.

—¡Hermana, no te preocupes! ¡Yo te sacaré de ahí! —le gritó Urrucutu
a la pastora apenas la vio.

Ella le hizo señas desde las alturas. Estaba feliz. Su hábil hermano
trenzó varios pastos para hacer una larga cuerda. Cuando la tuvo lista, la arrojó
hacia la cima de la montaña. La pastora descendió por la cuerda y abrazó a Urrucutu
mientras lloraba de alegría. Él se sorprendió de que
a su hermana le hubieran salido alas de cóndor,
pero no le preguntó nada. Lo importante
ahora era regresar a casa.

Los hermanos caminaron por oasis y quebradas hasta que divisaron su casa. Allí estaba su madre, que tejía mantas en el telar, y más allá estaba su padre, que araba la tierra para sembrar papas. La pastora y Urrucutu corrieron hacia ellos.

—¡Papá, mamá, estamos de vuelta! —gritaron los hermanos.

—¡Qué alegría! ¡Qué alegría! —decían los padres mientras abrazaban a sus hijos.

La pastora y Urrucutu tenían mucha hambre, así es que su madre les dio quinoa y carne de llama cocida para que comieran. Todos conversaban muy contentos hasta que una sombra cruzó el campo. Era el cóndor, que volaba sobre sus cabezas. Estaba buscando a su amada pastora. Quería recuperarla para llevársela a vivir con él. Al darse cuenta del peligro, Urrucutu tomó a su hermana y la escondió dentro de un cántaro negro que tapó con una manta.

El cóndor voló toda la tarde sobre la casa en busca de la pastora, pero no logró verla.

Al gran pájaro le dio tanta pena que llegó a llorar lágrimas de agua y sangre.

Desilusionado, regresó a las montañas.

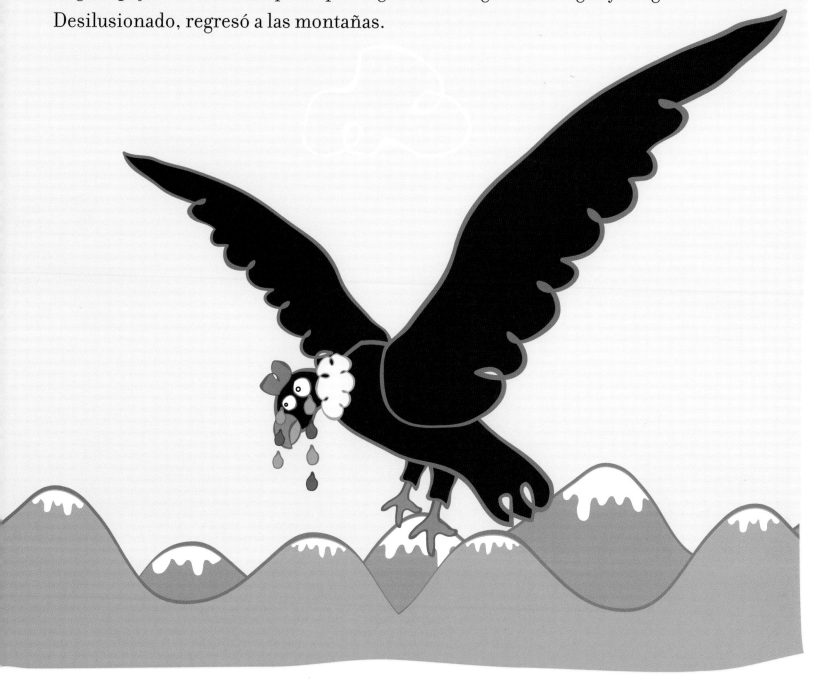

Urrucutu pensó que la joven ya estaba a salvo y corrió a avisarle.

—¡Hermana, ya puedes salir! —dijo Urrucutu.

Pero nadie le contestó. Sacó la manta e inclinó el cántaro para mirar más de cerca. Lo que vio era tan increíble que quedó mudo de asombro. ¡Su querida hermana se había transformado completamente en cóndor!

La pastora, convertida en cóndor, miró
a Urrucutu con ternura. Luego alzó la vista
al cielo. El cóndor había vuelto a buscarla.
La joven movió las alas para despedirse
de su familia y emprendió el vuelo. Se reunió
con su compañero y juntos volaron sobre los
valles y oasis del gran desierto de Atacama
para comenzar una nueva vida juntos.

GLOSARIO

Atacameño: pueblo originario que formó su cultura en el norte de Chile, al borde del Salar de Atacama. Los atacameños se asentaron en quebradas, oasis y valles donde cultivaban huertos y criaban ganado. Comunidades como Caspana, Socaire, Aiquina y San Pedro de Atacama todavía conservan parte importante de la cultura tradicional de este pueblo. Sin embargo, su lengua –llamada kunza, atacameño o likanantai– se extinguió a principios del siglo veinte.

Cóndor: es una de las aves más grandes que hay actualmente en el mundo. Sus alas extendidas pueden superar los tres metros. Habita la cordillera de Los Andes, desde Venezuela hasta el Estrecho de Magallanes, en Chile. Es uno de los dos animales –junto con el huemul– que aparecen en el escudo chileno.

Llama: animal que habita el altiplano de Sudamérica, desde Ecuador hasta Tierra del Fuego. Por su gran tamaño y fortaleza, los antiguos andinos domesticaron a la llama para usarla como animal de carga. También para aprovechar su lana y su carne.

Zorro: mamífero de hocico puntiagudo, orejas empinadas y piel espesa y suave. Vive en madrigueras y caza aves y otros animales pequeños para alimentarse. Es conocido por su astucia y puede ver en la oscuridad.

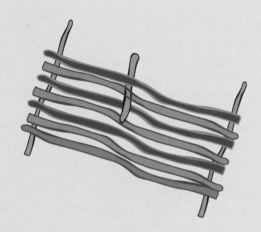

Telar: estructura de madera utilizada para tejer. Los antiguos andinos tejían a telar lanas de alpaca, llama o vicuña, y las teñían con hierbas o frutos, para hacer sus vestimentas.

Geoglifos: grandes figuras dibujadas sobre el suelo y las laderas de los cerros. Se construyen acumulando piedras más claras o más oscuras que la superficie de fondo, o sacando piedras que, por contraste, forman las figuras.

Caravana: grupo de personas y animales que se desplazan unos detrás de otros. Las caravanas atacameñas estaban formadas por hombres que viajaban con llamas cargadas de productos para intercambiar con otros pueblos. Salían desde el altiplano hacia la costa o hacia la selva.